la mañana

''Las cuatro partes del día''
Director General: José M. Parramón Vilasaló
Editora: Rosa M. Carrasco Azemar
Producción: Rafael Marfil Mata

''La Mañana''
Texto: Montserrat Viza
Ilustraciones: Irene Bordoy
© Parramón Ediciones, S.A.
Primera Edición: Septiembre 1987

Editado y distribuido por Parramón Ediciones, S.A.
Lepanto, 264, 4.º - 08013-Barcelona (España)
Impreso por: EMSA, Diputación, 116
08015 Barcelona (España)
Depósito Legal: B-29.308-87
ISBN: 84-342-0933-0

Montserrat Viza · Irene Bordoy

la mañana

Parramón

Por la mañana, aunque no le veamos, siempre sale el sol.

Al clarear el nuevo día, el pájaro canta...

Es el momento de despertarse, de espabilarse. En una palabra: la hora de levantarse.

¡Vamos! ¡Arriba, perezoso!

Un poco de agua fresca y una buena enjabonada

nos preparan para empezar el día.

¡Qué buen desayuno! Zumo de fruta, tostada con mermelada y alguna cosa más, antes de un tazón de leche con cereales.

Ahora te toca a ti. ¡Qué bueno está! ¿Verdad?

Entretanto, la calle también se ha despertado. Apresuradamente, como si llegasen tarde, todo el mundo va de un lugar a otro.

De camino hacia la escuela vemos lo que pasa en la calle. En el autobús, unos cantan, otros hablan e incluso hay quien aprovecha para dormir un poco más.

En el campo se empieza a trabajar con las primeras luces del día. Es tiempo de sembrar, tiempo de regar.

Los animales van hasta el prado...
y el sol sigue haciendo su tarea.

Como hemos descansado, por la mañana estamos despejados y nos es más fácil aprender.

En el colegio nos explicamos las novedades del día, hacemos cuentas y disfrutamos viendo lo que nos dicen las letras.

Ya hemos salido de clase. Vamos a comer. Hemos hecho tantas cosas que se ha acabado la MAÑANA.

LA MAÑANA

Con el sol todo comienza de nuevo.
El gallo canta, el polluelo se espanta.
El gato se peina y el niño adivina que se ha de levantar.

La mañana, primera parte del día

Si dividimos el día en cuatro partes, diríamos que la mañana es la primera, ya que casi todos nosotros comenzamos nuestra actividad al levantarnos.

La vida se despierta por la mañana

Todos los seres vivos tienen un ritmo de vida propio. Éste siempre tiene que ser armonioso y alternante: actividad, alimentación, descanso. Así, siempre igual. Sin parar. Hay un tiempo para cada cosa, y el ritmo, la sucesión, lo marca la posición de la tierra respecto al sol. Es decir, la hora natural. Entre las seis y las nueve de la mañana, según la época del año, la luz del sol nos despierta, nos hace revivir.

La vida en el campo

Puesto que hablamos de la mañana debemos decir algo sobre el campo. Todos los vegetales, tan importantes para nuestra subsistencia, nacen, crecen, y se recolectan en el campo; y allí, sólo se trabaja de día. Es tan importante aprovechar las horas de luz solar que, en algunas épocas del año, cuando el día es corto, sólo se trabaja por la mañana. Por tanto, la mañana es la parte del día más importante para la vida rural.

El desayuno

La primera comida del día, el desayuno, la debemos cuidar. Tenemos que preparar nuestro organismo para el esfuerzo que vamos a hacer. Nuestro cuerpo gasta energía, de la misma forma que un motor gasta gasolina. Debemos darle, pues, el alimento adecuado: un desayuno rico en vitaminas, proteínas e hidratos de carbono. ¿Que en qué alimentos se encuentran? Pues en la fruta, la leche, los yogourts, cereales y otros. Sabiendo escoger bien, entre éstos que acabamos de nombrar, podemos hacer una comida completa que nos dé la energía suficiente para empezar la jornada.

La actividad de la mañana

La actividad que realizamos por la mañana es, sin duda, la más intensa del día. Cuando nos despertamos, o nos despiertan, hay días que tenemos la sensación de no haber descansado lo suficiente y seguimos en la cama un ratito más, envueltos en una dulce sensación de pereza. Pero, entonces, un antipático aparato llamado reloj nos recuerda que es necesario ponerse en movimiento.

Es entonces cuando iniciamos la puesta en práctica de una serie de cosas que se repiten día a día: nos lavamos, nos vestimos, desayunamos, vamos al colegio, aprendemos, jugamos en el patio, volvemos a la clase, aprendemos más cosas y, por fin, llega el mediodía.

¿Por qué trabajamos más en la escuela por la mañana?

Por la mañana es cuando nuestra actividad intelectual está más capacitada. Gracias al descanso, está en su mejor momento para recibir información. El cuerpo, por otra parte, también ha podido recuperar la energía gastada el día anterior.

Por tanto, es evidente que la mañana es la parte del día más adecuada para realizar cualquier actividad.

El día nace por la mañana. Cada mañana nosotros nacemos, de nuevo, a la vida.